LEGADO DE GENERACIONES
Antología poética

Selección de **Rolando Kattan**

VOLUMEN I de la colección **Legado de Generaciones**

Legado de Generaciones, Antología poética.
Primera edición: mayo de 2017

Selección y edición a cargo de Rolando Kattan
Imagen de la portada e ilustraciones: Augusto Silva Gómez
Diagramación y artes finales: CEM Nicaragua
Coordinación del proyecto: Cristina Casado
ccasado@flordecana.com

© De los poemas: Los autores
© De la selección: Flor de Caña

Compañía Licorera Nicaragua
Edificio Pellas
Kilómetro 4.5 carretera a Masaya
Managua, Nicaragua

La edición consta de 150,000 ejemplares

Impreso en El Salvador
Albacrome

ISBN: 978-99964-941-0-9

LEGADO DE GENERACIONES

Hace 126 años y cinco generaciones que la familia *Flor de Caña* sembró la primera caña de azúcar en Nicaragua. De aquella semilla surgió nuestro legado y, del trabajo, nuestros valores. Hoy nos sentimos orgullosos de poder compartirlos con el mundo. Nuestro ron, no es sólo el sabor más enriquecido de nuestra tierra volcánica, lleva también en cada copa el cuidado de la siembra: una tradición comparable solamente con las más grandes de la humanidad, como el arte, la poesía.

En un mundo cada vez más diverso, de innumerables idiomas, la poesía nos une en un solo lenguaje. En este libro un poeta chino escribe para los pueblos indígenas; un poeta ruso recorre el museo del Prado en España; un poeta sueco dialoga con la luna de la dinastía Tang. Las abstracciones del tiempo y de la geografía se rompen del mismo modo que *Flor de Caña* nos reúne en una sola mesa a través de su extraordinario sabor.

De ahí, querido lector que te adentras en estas páginas escritas por poetas de diferentes generaciones, originarios de los países con los que hemos hermanado nuestra tradición, te digo salud y bienvenido. Aquí está el tiempo y el mundo, como en una copa; aquí está la vida.

•

Antología poética

Índice

LEGADO DE GENERACIONES

Anthony Phelps
Canadá/ Haití

Magiciens

Par certains soirs d'automne cuivré
les corps lumineux des poètes trépassés
réapparaissent baroques nus limpides.
Miroirs du secret des tombes
mages et magiciens de nuages
dans le verger des glaces et du pourpre
ils se cherchent un écho à leur verbe alchimiste.

Étoiles solitaires dans leur insomniaque vérité
leurs mouvements désentravés
négocient l'oblique virage de la parole.

Par certains soirs d'automne coupant
quand la nuit à peine se défait de ses bandelettes
un souffle étrange ébéniste
réveille les eaux dormantes des femmes.
Au brusque dérobé de leur hanche
leur rondeur impatiente se soulève
éclate en mystérieuse extase.

Par certains soirs d'automne cuivré
les corps lumineux des poètes trépassés
réapparaissent magiciens du désir
libérateurs du chant des coquillages.

Anthony Phelps
Canadá/ Haití

Magos

Para ciertas tardes cobres de otoño
los cuerpos luminosos de los poetas muertos
reaparecen barrocos desnudos límpidos.
Espejos del secreto de las tumbas
hechiceros y magos de nubes
en el huerto de hielo y púrpura
buscan un eco para su verbo de alquimista.

Estrellas solitarias en su insomne verdad
sus movimientos destrabados
negocian el viraje oblicuo de la palabra.

Para ciertas tardes cortantes de otoño
cuando la noche apenas se quita sus vendajes
un extraño aliento de ebanista
despierta las aguas calmas de las mujeres.
Con el brusco asalto a sus caderas
sus curvas impacientes se sublevan
y estallan en un misterioso éxtasis.

Para ciertas tardes cobres de otoño
los cuerpos luminosos de los poetas muertos
reaparecen magos del deseo
y liberan el canto de los caracoles.

Traducción de Blanca Luz Pulido y Laura González

Richard Blanco
EE.UU.

Some Days the Sea

The sea is never the same twice. Today
the waves open their lions' mouths hungry
for the shore, and I feel the earth helpless.
Some days their foamy edges are lace
at my feet, the sea a sheet of green silk.
Sometimes the shore brings souvenirs
from a storm, I sift spoils of sea grass:
find a broken finger of coral, a torn fan,
examine a sponge's hollow throat, watch
a man-of-war die a sapphire in the sand.
Some days there's nothing but sand
quiet as snow, I walk, eyes on the wind
sometimes laden with silver-tasting salt,
sometimes still as the sun. Some days
the sun is a dollop of honey and raining
light on the sea glinting diamond dust,
sometimes there are only clouds, clouds—
sometimes solid as continents drifting
across the sky, other times wispy, white
roses that swirl into tigers, into cathedrals,
into hands, and I remember some days
I'm still a boy on this beach, wanting
to catch a seagull, cup a tiny silver fish,
build a perfect sand castle. Some days I am

a teenager blind to death even as I watch
waves seep into nothingness. Most days
I'm a man tired of being a man, sleeping
in the care of dusk's slanted light, or a man
scared of being a man, seeing some god
in the moonlight streaming over the sea.
Some days I imagine myself walking
this shore with feet as worn as driftwood,
old and afraid of my body. Someday,
I suppose I'll return someplace like waves
trickling through the sand, back to sea
without any memory of being, but if
I could choose eternity, it would be here:
aging with the moon, enduring in the space
between every grain of sand, in the cusp
of every wave and every seashell's hollow.

Richard Blanco
EE.UU.

Hay días que en el mar

El mar nunca es el mismo dos veces. Hoy
las olas abren sus bocas de león, hambrientas
de orilla, y siento a la tierra impotente.
Hay días que sus bordes espumosos son encajes
a mis pies, el mar una sábana de seda verde.
Hay días que la orilla trae recuerdos de una
tormenta, y rebusco entre despojos de algas:
encuentro un dedo de coral roto, un abanico desgarrado,
examino la garganta hueca de una esponja, veo
en la orilla una falsa medusa morir hecha un zafiro.
Hay días que no hay más que arena
tranquila como la nieve; camino, los ojos al viento
a veces cargado del sabor a plata del salitre,
a veces tan quieto como el sol. Hay días
que el sol es una cucharada de miel, su lluvia
de luz cual destellos de polvo de diamante sobre el mar.
Hay días que sólo hay nubes, nubes solas—
sólidas como continentes a la deriva
por el cielo, otras veces tenues rosas
blancas que se convierten en tigres, en catedrales,
en manos, y recuerdo esos días cuando
todavía soy un niño en esta playa, deseoso de atrapar
una gaviota o un pececito plateado en mi mano ahuecada,
de construir un castillo de arena perfecto. Hay días en

que soy un adolescente ciego ante la muerte, incluso al ver
olas que se escurren en la nada. Pero la mayoría de los
días soy un hombre cansado de ser hombre, durmiendo
al amparo de la luz oblicua del ocaso, o un hombre
con miedo de ser hombre, viendo algún dios
a la luz de la luna sobre el mar.
Hay días que me imagino en esta orilla, arrastrando
mis pies desgastados como madera arrastrada por el mar,
viejo y temeroso de mi cuerpo. Supongo
que algún día regresaré como olas
escurriéndose por la arena, de vuelta al mar
sin ninguna memoria de ser, pero si
pudiera elegir la eternidad, sería ésta:
envejeciendo con la luna, ocupando el espacio
entre cada grano de arena, en la cresta
de cada ola y en el vacío de cada caracol.

Traducción de Eduardo Aparicio

Janet McAdams
EE.UU.

Seven Boxes for the Country After

When we thought to leave the house of the country, the country after fever, the land liened and lost, I bundled the twelve pages, the first for the life we led. Another to list the lies the body remembers: two eyes and a tongue, the pink chords of the voice box, the hand that points or gestures or copies it down like this: 1 2 3. Three pages for relatives unfaced and sad as watches. One for the names never spoken. One to fold into a box the size of a head. One torn to pieces, small enough to be carried by wind or water. One for ash, two twisted to light the oily kindling. The last, this one, this page you are reading.

Janet McAdams
EE.UU.

Siete cajas para el país después

Cuando pensamos dejar la casa del país, el país después de la fiebre, la tierra perdida y con gravamen, recogí las doce páginas, la primera por la vida que llevamos. Otra para enumerar las mentiras que el cuerpo recuerda: dos ojos y una lengua, las cuerdas rosadas de la laringe, la mano que indica o gesticula o lo hace en copia así: 1 2 3. Tres páginas por los familiares sin cara y tan tristes como los relojes. Una por los nombres nunca pronunciados. Una para doblar en forma de una caja del tamaño de una cabeza. Una rota en pedazos, muy pequeños para que el viento o el agua se los lleve. Una por la ceniza, dos torcidas para encender la leña grasienta. La última, ésta, la página que lees.

Traducción de Katherine M. Hedeen y Víctor Rodríguez Núñez

Carol Frost
EE.UU.

The Part of the Bee's body Embedded in the Flesh

The bee-boy, *merops apiaster*, on sultry thundery days
filled his bosom between his coarse shirt and his skin
with bees—his every meal wild honey.
He had no apprehension of their stings or didn't mind
and gave himself—his palate, the soft tissues of his throat—
what Rubens gave to the sun's illumination
stealing his fingers across a woman's thigh
and Van Gogh's brushwork heightened.
Whatever it means, why not say it hurts—
the mind's raw, gold coiling whirled against
air currents, want, beauty? I *will* say beauty.

Carol Frost
EE.UU.

La parte del cuerpo de la abeja clavada en la carne

El niño-abeja, *merops apiaster,* en días de truenos y bochorno,
llenaba el pecho entre su camisa áspera y su piel
con abejas — y solo miel silvestre comía.
O no tenía aprensión a las picaduras o no le importaban
y se daba—al paladar, a los tejidos blandos de la garganta—
lo que Rubens dio a la luz del sol
escurriéndose por el muslo de una mujer
y las pinceladas de Van Gogh realzaban.
Signifique lo que signifique, ¿por qué no decir que le duele —
crudos y dorados aleteos de la mente arremolinándose
contra las corrientes de aire, deseo, belleza? Yo *sí* diré belleza.

Traducción de Daniel Frost

Víctor Rodríguez Núñez
Cuba/ EE.UU.

Hipótesis

Pensaba Ptolomeo
que el mundo era como el ojo de ciertas mujeres
Una esfera de húmedos cristales
en que cada astro describe una órbita perfecta
sin pasiones
                    mareas o catástrofes

Luego vino Copérnico
sabio que cambió senos por palomas
cosenos por espantos
y la pupila del sol fue el centro del universo
mientras Giordano Bruno crepitaba
para felicidad de curas y maridos

Entonces Galileo
estudiando a fondo el corazón de las muchachas
naufragó en el buen vino
—*luz aglutinada por el sol*—
violó estrellas que no eran de cine
y antes de morir sobre la cola de un cometa
sentenció que el amor era infinito

Kant por su parte no supo nada de mujeres
preso en la mariposa de los cálculos

en polen metafísico
y a Hegel
                tan abstracto
le resultó el asunto demasiado absoluto

Por mi parte
                propongo al siglo XX
una hipótesis simple
que los críticos llamarán romántica
Oh muchacha que lees este poema
el mundo gira alrededor de ti

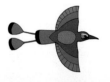

Víctor Rodríguez Núñez
Cuba/ EE.UU.

Hypothesis

Ptolemy thought
the world was like certain women's eyes
A sphere of damp crystal
where each star traces a perfect orbit
with no passion
                    tide or catastrophe

Copernicus came along
wise man who traded sines for doves
cosines for fright
and the sun's pupil became the center of the universe
while Giordano Bruno crackled
to the delight of husbands and priests

Then Galileo
probing deeply into young girls' hearts
shipwrecked on good wine
—*light agglutinated by the sun*—
raped stars that weren't in the movies
and before dying on a comet tail
declared love to be infinite

Kant in turn knew nothing of women
prisoner in the butterfly of calculations

in metaphysical pollen
and for Hegel
           so abstract
the problem was excessively absolute

As for me
           I propose to the twentieth century
a simple hypothesis
critics will call romantic
Oh young girl who reads this poem
the world revolves around you

Traducción de Katherine M. Hedeen

Andrea Cote Botero
Colombia / EE.UU.

Puerto quebrado

Si supieras que afuera de la casa,
atado a la orilla del puerto quebrado,
hay un río quemante
como las aceras.
    Que cuando toca la tierra
es como un desierto al derrumbarse
y trae hierba encendida
para que ascienda por las paredes,
aunque te des a creer
que el muro perturbado por las enredaderas
es milagro de la humedad
y no de la ceniza del agua.

Si supieras
que el río no es de agua
y no trae barcos
ni maderos,
sólo pequeñas algas
crecidas en el pecho
de hombres dormidos.
    Si supieras que ese río corre
y que es como nosotros
o como todo lo que tarde o temprano
tiene que hundirse en la tierra.

Tú no sabes,
pero yo alguna vez lo he visto:
hace parte de las cosas
que cuando se están yendo
parece que se quedan.

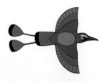

Andrea Cote Botero
Colombia / EE.UU.

Broken Harbor

If you only knew outside the house,
tied to the shore of the broken harbor,
there's a river blistering
like sidewalks.

It's like a collapsing desert
when it touches earth
taking along burning grass
so it scales the walls,
even if you're convinced
the wall troubled by vines
is a miracle of dampness
and not water's ash.

If you only knew
the river's not made of water
and brings no boats
no ship,
just bits of algae
grown on the chests of sleeping men.

If you only knew the river runs
and it's like us
or all that sooner or later

must sink into the earth.

You don't know,
but I saw it once:
becoming part of things
so when they leave
it seems they stay put.

Traducción de Olivia Lott

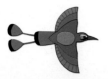

Luis Manuel Pérez Boitel
Cuba

Carta de amor del Rey Tut-Ank-Amen a Dulce María Loynaz

no es que resulten extrañas estas palabras mías, distantes como la más preciada tarde del Nilo, para cubrir tu hierático paso y vencer esta muerte probable entre diademas y sicomoros. lo cierto es que en aquella columnita de marfil donde descifraste mis dibujos sobre el otoño, yo existía gracias a tu plegaria sobre la ciudad de Menfis y sobre el sarcófago que protegía mi adolescencia y mis más preciados jeroglíficos, porque encontraba en tu aparente penumbra esa luz dispuesta en estos ojos cansados a través de tres mil novecientos años que ahora yo te ofreciera para el arcángel albísimo que eres un domingo de resurrección. quizás, dudaras de estas palabras que corroboran mi otra muerte, el silencio de estos pabellones que yo abandonara para salir a tu encuentro. no es que resulten extrañas estas palabras, que ya estaban escritas desde mucho antes, incluso antes de tu llegada, que Isis me había mostrado en el estival año. ah, Dulce María, parece que tu Isla cubre tu pecho como estos juguetes de oro y lapislázuli que adornan el sacrificio. déjame, desde esta columnita tenerte dentro de mi tiempo como aquellos que entregaron su vida, jóvenes como yo, arqueros como yo, en una clara tarde del Egipto. enséñame, el Ave María para repetir lo que tus ojos retienen y yo no sea más el lado más frío de la muerte, el lado más frío de la vida, para que me duermas como un niño distante de su madre y su país. hubiera dejado si me lo pidieras, Dulce María, estos monolitos para la gente que no logró comprender que tuve miedo de esas auroras milenarias, del país ante la muerte y que nunca quise ser un rey, en estos diecinueve años que todavía envuelven mis cenizas ante los arenales del desierto y la prontitud del otoño. mírame, y no sientas pena por la frialdad que atesora un lugar como este, llévame contigo a los campos, al extraño azul de tu Isla, llena de benjamines y lirios. ahora que has desempolvado mi corazón, en aquel sarcófago de mármol negro donde dormía mi muerte, bajo el candil de infinitas lunas y el perfume delicado de mis dioses. ven Dulce María, en esta bendita tarde del Nilo y arráncame como si fuera yo tu más preciada flor del jardín. invoca a Isis para el regreso y si no logras con tu ávido empeño sacarme de este carro de marfil toma mi nombre simplemente para encontrarte entre la multitud, al pie de tu Isla tropical, para volver a tener como lo habías prometido, el más dulce, el más breve de tus poemas.

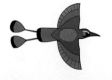

Lilliana Ramos Collado
Puerto Rico

Paradojas de la rosa

"¡Rosa, oh pura contradicción, gozo de ser sueño de Nadie debajo de tantos
párpados!"
Epitafio de Rainer Maria Rilke

quisiera morir
herida
por la espina de una rosa
dormir absorta
en la molicie de sus párpados

que mi corazón
ensartado en la fronda hirsuta
de la rosa
pudiera seguir amándola
por el placer que suscita ese
dolor
que arrecia apenas ante el abismo
de su belleza

que en la muerte
olvidase yo
la minucia lenta del estrado del
tiempo sobre la faz olorante
de la rosa
que
recostada de su espina
fuese yo misma rosa
que fielmente

entrega a sus amantes a la
muerte

la rosa está siempre
madura para morir
que nadie la despierte que
nadie se despierte sino aquel
que haya lanceado su pecho
con la espina que otorga la
dichosa eternidad de una
muerte hermosa

fina y frugal la
rosa no espera otra
cosa que dormir con Nadie
que darle su
don de un día su
don del sueño

rosa generosa

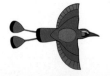

José Mármol

República Dominicana

Poema 24 al Ozama: acuarela

superficie de luces agotadas donde apenas el sonido de la sombra suena. yo te nombro ciudad irreal hundida en la penumbra de un recuerdo invernal. el *Ozama* que fluye por cada objeto a la deriva es una historia. el *Ozama* que sube del fondo de la noche hacia mi palabra. un pez flota suspenso entre la imaginación y un escarceo brillante de hojas secas. el *Ozama* refugio del miedo de la noche y de toda la pobreza de unos hombres. largo testimonio de secretas temporadas de amor y de todo excremento vertedero. yo te nombro ciudad irreal hundida en la penumbra de un recuerdo invernal. cuando en la orgía de las horas oscuras no queda diferencia y el amanecer estalla en su maravilla cotidiana. cuando el silencio penetra el aire ancho y el murmullo de los troncos y las piedras. el río que hay en el *Ozama* empieza a sudar leche de luna y baba. empieza a mostrar sus ahogados. sus ángeles suicidas. sus dioses imperfectos. sus luases orinados. sus vírgenes violadas por murciélagos y sapos. los lanchones de hueso dejan la superficie cantando su retorno hacia lo profundo. todo mi cuerpo. toda mi memoria contenidos por el río que corre en el *Ozama*. todo mi ser desgonzado y transido. superficie de luces diluidas por donde ya no se oyen las rancias velloneras. yo te nombro ciudad irreal hundida en la penumbra de un recuerdo fatal.

Marco Antonio Campos
México

Aquellas cartas

El ayer llega en el hoy que saluda ya el mañana.
Era fines del '72. Yo atravesaba en tren
Europa occidental, o caminaba por saber adónde,
un sinnúmero de calles, y en cuerpos ondulados
de jóvenes tenues, o en la delgadez del aire en la rama
de los castaños, o en reflejos, que creaban imágenes
en aguas del Tajo, del Arno o del Danubio, la creía ver,
y ella lejos, en mí, en Ciudad de México, con sus
clarísimos 19 años, regresaba en verde o azul, para luego irse
y regresar e irse en el ayer que hoy llega para hablar mañana.
Era fines del '72, y yo no sabía que el mirlo cantaría para mí
a la hora del degüello. Ella hablaba de amor en mí, por mí, de
mí,
pidiéndome que le enviara más cartas, que guardaba
-eso decía- en el color de los geranios sobre los muros
de su casa en el barrio de San Ángel, sabiéndola diciembre
que era de otro, pero yo le escribía cartas y cartas
en el compartimiento del tren de una estación a otra
bebiéndome milímetro a milímetro la morenía de su cuerpo
como si fuera antes, sin saber que la tinta se borraba como
el color de los geranios en el muro de su casa.
Pero al evocar ese ayer convertido en un hoy que es ya mañana,
sin escribir ya cartas entre una estación y otra, me parece
que aún oigo la canción del mirlo a la hora del degüello.

Enrique Noriega
Guatemala

Barco a la deriva

Me equivoqué
Me equivoqué de azules
Me equivoqué de azules horizontes
Me equivoqué de miedo
Me equivoqué de mí
No me tocaba ser yo
No me tocaba ser yo todavía
Me equivoqué de dirección
Me equivoqué de vocación
No soy lúcido sino hasta cuando me equivoco
No soy crítico sino hasta cuando me niego
No poseo las llaves del texto
Me equivoqué de libro
Me equivoqué de miedo
No me tocaba ser yo
No me tocaba ser yo todavía
No me tocaba ser yo en esta escritura
Oh azules horizontes de la línea
De lector no he pasado
Me equivoqué de mí
De palabras
De mar
De mar de palabras
De mí

De palabras
De fuga de palabras
De conceptos
De fuga de conceptos
De visiones
Soy fuga de visiones
Y ya
Sólo conozco
Alternativas
Alternativas inciertas
Y caos
Y mar
Y mar de palabras
(Eso he sido)
Mar de palabras
Mar
Amar
Mal amar
Eso he sido
Barco a la deriva
Incierta nave
Eso he sido

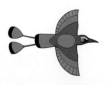

Jorge Galán
El Salvador

Race horse

Para Roxana Elena

Y mira tú, muchacha, de quién viniste a enamorarte,
a quién viniste a amar para toda la vida,
a quién decidiste no olvidar:
es un caballo de carreras, ese muchacho es un caballo de
carreras
y corre siempre junto a la barda colmada por espinos
y sus músculos inflamados siempre a punto de reventarse.
¿Quién lo conduce?
Sus estribos son ríos a los cuales muerde para intentar romper.
Sus ojos ven un horizonte de fuego al que no puede dejar de
dirigirse.
Sus cascos son de un cristal incorruptible que aniquila a la
piedra.
Su crin es el viento azotado por el relámpago.
Una tormenta tiene donde debió tener un breve corazón,
una tormenta a la cual teme incluso el invierno mismo.
Su imaginación es la misma que la de la montaña
y la del grito que corta el silencio de la montaña desolada.
No es de fiar.
¿Quién confiaría su alma a una tormenta?
¿Quién brindaría su piel al cuchillo de fuego
o su voz al silencio de la flauta quebrada por el odio?
Y mira tú, muchacha dulce, te abriste como un cofre
lleno de perlas que parecían brotar de la luz misma

y él ni siquiera pudo notarlo, él es un caballo de carreras
y no le importa ni la ciudad ni el camino que lleva a la ciudad
ni las joyas ni un cuello lleno de joyas ni un cofre lleno de joyas,
solo le importa el bosque y el campo abierto y la playa
interminable
pero sobre todo la pista, esa pista de grama, arena y piedra,
y mira tú de quién viniste a enamorarte
a quién quisiste guardar en ti como un corazón nuevo
a quién quisiste abrazar hasta perder los brazos
a quién quisiste mirar hasta cerrar tanto los ojos
que no consigues ya observar la dicha.
Mira tú, muchacha linda, a quién quisiste amar,
a un obstinado caballo de carreras cuya pista es el mundo.

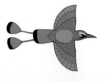

Rolando Kattan

Honduras

Tratado sobre el cabello

todas las cosas grandes
inician con una idea en una cabeza despeinada
como pudo –por decirlo así- crear Dios el universo
/con una cabeza engomada
¿qué habría hecho Noé adentro del arca con una
/cabeza de mayordomo
o Jesucristo en el monte si sus cabellos no se
/hubiesen entrelazado con el viento?

Heráclito salió del río tan despeinado como
/Arquímedes de la bañera
y a Sócrates y a Platón les crecía sobre su calvicie
/una cabellera desorbitada
es sabido que Homero murió arrancándose los
/pelos de desesperación
y que Cervantes Quevedo y Góngora se peinaban
como Shakespeare solamente el bigote

Juana de Arco ardió más fuerte en la hoguera por
/su aguerrida cabellera
y en la antigüedad
los primeros hombres en sembrar el café y el maíz
los chamanes y los sacerdotes
los que tallaron en las lejanas piedras los primeros poemas

todos son parte de los anónimos despeinados de siempre

después
a Newton lo despeinó una manzana
a Tomás Alba Edison la electricidad le puso los pelos de punta
Bach disimulaba su melena con una peluca
y Leonardo Da Vinci se despeinaba también las barbas

todos los ángeles del cielo las hespérides las musas
las sirenas y las mujeres que saben volar
todos y todas tienen extensas cabelleras destrenzadas

en la historia reciente
Albert Einstein fue el más despeinado del siglo XX
y Adolfo Hitler por supuesto
el de los cabellos más ordenados
pero las cosas grandes también son cosas sencillas
como aquellos que llegan a casa apresurados por despeinarse
o los niños cuando aprenden del amor despeinando a sus
madres
es obvio que los sueños nacen en las cabezas dormidas
porque siempre están despeinadas

y los amantes que sobre todas las cosas se despeinan
cuando se besan y se aman
por eso les digo:
hay que desconfiar de un amor que no te despeina

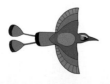

Gloria Gabuardi
Nicaragua

En el recuento de esta vida

He buscado la luz que Dios me dio,
en el corazón del ser humano.
He encontrado la trascendencia de la soledad,
la palidez del follaje al amanecer,
la penumbra que deja un día triste
y la ternura exquisita de una tarde de silencios.
Yo he dormido con el corazón entre las manos,
y he caminado al horizonte donde esa luz alumbra.
He oído apagarse el eco de la noche
y he querido atrapar el tiempo y sus distancias.
Soy viajera en este barco
y siempre he tenido un cielo con presagios.
A veces grito mi nombre: Gloria….
y escucho dulcemente el batir suave
del limonero de mi casa.
Todo es tan hermoso como el sonido de una castañuela
"Gloria a Dios en las alturas"….
y se conmueve y susurra mi jardín
y pasa el viento cadencioso en su plegaria,
la plegaria del sol al penetrar las tardes en el mar.
En el recuento de esta vida
paso esta página en limpio
y marco presurosa mi imaginado territorio.

Francisco de Asís Fernández

Nicaragua

Los ángeles y las piedras preciosas

A mí queridísimo amigo
Víctor Rodríguez Núñez

Soñé que las galaxias, las estrellas, los hoyos negros,
querían ser el cuerpo místico de los hombres;
que los grandes pedazos de las piedras preciosas
se iban reuniendo en un cielo pequeño, recién nacido,
haciendo círculos inmensos de todos los colores
y haciendo abismos que solo los ángeles pueden imaginar.
Soñé que el principio del Cielo fue un juego de los ángeles
con las piedras preciosas, con la belleza de los colores brillantes,
con el candor de los grandes volúmenes,
con la invención de la pureza del fuego y la nieve,
y la necesidad de un idioma para reconocer a los planetas.
Y así pasaron millones de años creando el viento,
los sistemas solares, los mundos, las estrellas, los cometas,
y en ninguna parte del cielo y en ninguno de los mundos
había árboles, ni animales ni hombres.
El juego de los ángeles con las piedras preciosas
no había llegado allí todavía,
no habíamos llegado a la creación del hombre,
del alma,
la culpa
y el perdón.

Francisco Larios
Nicaragua

Historia de un gato

Entre mis dos sienes
soy un gato que apenas intuye
el enigma
del espejo-
me preparo
para interesarme en la filosofía: Todo comienzo
es un paisaje así:
Será que el alma
de la laguna duerme
o el resto
de la naturaleza
calla;
la mañana parece
un espacio robado:
Y parece que afuera
mueren gatos.

Paola Valverde
Costa Rica

Suenan las campanillas de la tienda

Compraré esta *matrioska* para mi madre.
La llevaré envuelta en un rollito de seda
como la rama de olivo que anunció
la última gota del diluvio.

Siempre le gustaron las muñecas.
Trazaba siluetas que no podía poseer
y colocaba los dibujos a un lado de su cama.

Quiero ver esta *matrioska* entre sus manos.
En cada cuerpo habitará una caja
        y otra caja
con espacio para su juego.

Mañana retornaré a casa.

Seré la pieza que sostenga
los rostros de mi familia adentro.

Gorka Lasa
Panamá

Altair, el águila de los mil años

En este cúmulo fue arrojada mi semilla,
En los abismos de espacios nebulares,
En los reservorios de lejanos astros,
En los yermos castillos del tiempo,
En los tormos de esferas ateridas.

Somos luz pensada,
Náufragos de la mente,
Plasmas en ávida espera.

Somos creación,
Húmeda reserva,
Sueños huidos de la nada.

Y otra vez,
Y otra vez.

La ronda de vidas y sus ciegos dioses imposibles,
Los albores iniciales, los crepúsculos crueles,
La gestación en el negro cenote embrionario,
El rutilante drama del alma en lo profundo.

Caí, cometa errante, raudo,
Oráculo de mundos marginales,

Viajante elíptico de la estrella negra,
Pendí fulgurante de un cielo perdido,
Vientos solares azotaron mi espíritu,
Por mil edades sin nombre,
Vagué girando en el umbral.
Dolor y sangre me clavaron al frío,
Agua y fuego atraparon mi viaje.
Así fue traída hasta aquí,
Mi semilla.

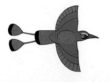

Federico Díaz Granados
Colombia

Las prisas del instante

Tenía razón el tiempo en llevar su afán
en instalarse donde le pareciera
y en tener sus rituales y hostilidades.

Ahora entiendo sus tardanzas y balbuceos
y su prontitud para los aciertos,
de esta terquedad de fijar unas cuantas palabras en un extremo
de la infancia
y otras tantas en un rincón de esta calle ronca
que se parece tanto a la vida, llena de sorpresas y de silencios.

Por eso perdóname por tantas deshoras.
por convocarte en noches de rencores y presagios
por amontonar en la misma gaveta ruinas y asuntos cotidianos
entre el cansancio de los días y la terca música de los silencios.

Tenía razón el tiempo en llevar su ritmo
y la vida en tener sus afanes
para quedarse acá
con todas las prisas del instante.

Por eso perdóname por estas premuras
por no saber la gramática y las palabras de una lengua olvidada
por haber perdido libretas, las llaves

y la vieja canción de exactos compases y cenizas
como si en el afán del tiempo
cada día, sin importar la hora,
se extraviaran los sueños.

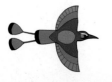

Xavier Oquendo Troncoso
Ecuador

Mi abuelo y mi abuela

tenían un caminar maduro.
Ella, pausada en el galope;
él, acelerado y discurrido.

Caminaban, mirando la última huella
que había dejado el animal de turno.
Ella seguía el paso del hombre
como una secuencia natural.

El río de mi abuelo
y de mi abuela
no se parece al Guadalquivir
ni al Guayas.
Es un río de piedra que desciende
sobre las sendas
que faltan por conocer
y adentrarse.

Mi abuela nada tiene que ver
con la abuela de Perencejo.
Perencejo no tiene esos senderos
ni ese paso seguro y lento.
El abuelo de Fulano
no conoce el camino que mi abuelo guarda

en el bolsillo:
sendero extraviado
entre la menta y el "king" sin filtro
que olían sus pantalones.

Mi abuelo se parece a los astros.
Mi abuela es un astro.
Mi abuelo se parece a mi abuela
y los dos a las estrellas.

Nada tienen del Guayas ni del Guadalquivir.
Ni de los viejos Fulano y Perencejo.
Los miramos
a través de las radiografías de sus huellas.
Miramos sus sendas como esfinges
que heredamos para practicar la fe.
Nada tienen que ver con mis zapatos torcidos.

Caminaron, los dos, el valle hasta la muerte.
Son un río que esconde a las aguas
debajo de las piedras.

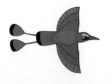

Miguel Ildefonso
Perú

Tú deberías conocer a Hölderlin

La caricia de la flor en agua de ojo arrancada de su sombra
Y de su muerte que mira en su ausencia habitada
Tal vez podríamos cortar las ramas invisibles que nos atan
Al canto de la noche y volver
Como bajo el dedo del sol desnudo al fondo del lago vacío
Que lleno de peces relata su viejo murmullo apasionado

La yerba amarilla resplandece la voluptuosidad del amor
Enterrado junto a la sombra de un caballo
Esta hierba arrancada por la luna filuda pudo haber soportado
El sueño de los amantes trémulos
Nuestro peso áureo en éxtasis apretados sofocados
                                                    alternándonos
En estaciones carcomidas por palabras

Tu cabellera extendida sobre el mar no podrá hundirse
En la caída vertical de las aves _que es como la palabra
La melancolía de tu pelo reflejado en las gordas nubes
Que suenan a antiguos metales golpeados en pérfidas batallas
De mitos muertos

El viento nos rodea con el cuero celeste del grillo
Trepado en el tronco
Una hoja verde cae en su ebrio naufragio sin estrellas

Los secretos cisnes se acercan con la luz encendida de las calles
"¿Dónde están los mitos?"_Me preguntas
Y en el lago vacío donde se reflejan los viejos amores
Que vagan sin olvido
Un anciano está sentado sostiene una caña dorada
Tranquilo muy tranquilo _Ahí está el mito_Te contesto

Gabriel Chávez Casazola
Bolivia

Donde el poeta, investido como un personaje de Kozinski, conversa con su hija

Para Clara

Y si de pronto un rayo o un camión se abaten
sobre la palma erguida,
sobre su razón llena de pájaros
y mediodías

si la malaventura hiere su frente de luz
y la desguaza
y convierte en escombros su razón
y su alegría
que era también la nuestra

no te dejes llevar por la tristeza,
hija,
recuerda que detrás de los escombros
siempre quedan semillas

y que algún día,
pronto,
después del rayo y la malaventura

se abrirá la luz
cantarán los pájaros
y nuestra calle y todas las calles del mundo
donde alguna vez hubo palmeras abatidas

se llenarán de felices jardineros
que peinarán
los nuevos brotes
y regarán los mediodías.

Te lo prometo, hija:
la mañana se llenará de jardineros.

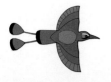

Francesca Cricelli
Brasil

Remover do corpo as crostas do silencio

No se puede contemplar sin pasión.
Borges

Remover do corpo as crostas do silêncio
tudo que é vivo e exposto grita
e gira, pela avenida
a dor se junta ao rumor.

Para chegar à clarividência
procura-se um ritmo, qualquer um,
que descompasse as artérias –

a vida enverga sobre a avenida
no peito só a voragem do eterno,
a fração do abalo sísmico,
desenha na mão cataclismos.

Francesca Cricelli
Brasil

Arránquense del cuerpo las costras del silencio

No se puede contemplar sin pasión – Borges

Arránquense del cuerpo las costras del silencio
todo lo que está expuesto y vivo grita
y gira en la avenida,
el dolor se junta al rumor.

Para alcanzar la clarividencia
búsquese un ritmo, cualquier ritmo
que haga perder el compás a las arterias –

la vida se arquea sobre la avenida
en su pecho nada más que la vorágine de lo eterno,
el fragmento de la onda sísmica
dibuja en la mano cataclismos.

Traducción de Francisco Larios

Mario Meléndez
Chile

Recuerdos del futuro

Mi hermana me despertó muy temprano
esa mañana y me dijo
"Levántate, tienes que venir a ver esto
el mar se ha llenado de estrellas"
Maravillado por aquella revelación
me vestí apresuradamente y pensé
"Si el mar se ha llenado de estrellas
yo debo tomar el primer avión
y recoger todos los peces del cielo"

Héctor Hernández Montecinos

Chile

La ciudad sorprende desde las luces que la componen, y que son su especie de conjunto de constelaciones. Una ciudad sin nombre debiera estar iluminada día y noche. Hasta podría definirse una ciudad por su cantidad, tipo, distribución, colores y formas de las luces que posee, pues cambian si se ven de cerca o de lejos. Se confunde si son letras, sílabas o nombres completos. Luces agudas, graves y esdrújulas. Las luces de las casas se parecen a las luces de los autos. Las luces de las calles se parecen a las de las luciérnagas.

Amanda Pedrozo
Paraguay

Así sea

Es acá donde mueren los deseos
donde las aguas duermen y se apagan los ecos
porque se quiere
acá mis compañeros los árboles están cerca
y me tienden solidarios sus hojas y sus flores,
me dicen
lo que vinieron a decir a los hombres
y a sus amigas las mujeres, lo dicen envueltos
en el aire que los mueve en círculos
como verdes danzarines
es acá, sí, donde nacen los sueños
cada vez que un deseo enloquecido se lanza
a las llamas y muere,
como suelen morir los héroes o los lúbricos
los apátridas y los enamorados
que es como decir aquellos que ya no pueden
oír el mensaje de los árboles
oye, habré de agitar chispas de las brasas
para encontrarte al fin
hecho luz, espiga, ocaso, muerte, vida y palabras,
o silencio, desde acá mismo
que es donde mueren los deseos
y palpita el amor más irredento, el más oscuro
o claro, oye, es acá donde toda puerta
se abre, porque se quiere.

Hugo Mujica
Argentina

Hace apenas días

Hace apenas días murió mi padre,
hace apenas tanto.

Cayó sin peso,
como los párpados al llegar
la noche o una hoja
cuando el viento no arranca, acuna.

Hoy no es como otras lluvias
hoy llueve por vez primera
       sobre el mármol de su tumba.

Bajo cada lluvia
podría ser yo quien yace, ahora lo sé
       ahora que he muerto en otro.

Martha L. Canfield
Italia/ Uruguay

Magliano in Toscana

Le giornate che sfuggono
hanno dentro
un duro seme irraggiungibile
e la polpa succosa
dell'albicocca appena staccatasi
dal ramo
che nella bocca mescola
sete con freschezza.

Le giornate che sfuggono
contengono
una luna visibile di giorno
e trasparente.

E odor di rosmarino
e di basilico.

Fra un passo e l'altro
si allunga la pigrizia
come voglia di star qui
non arrivare
non ancora
un altro po' di quest'aria di cannella
di questo sospiro senza attesa

di questa tregua se è tregua
di quest'acqua se è canale questo dolce
lambire la vicina sponda
senza rischiare il fianco della nave.

Fiducia in ali che
invisibili
magari ci proteggono.

Martha L. Canfield
Italia/ Uruguay

Magliano en Toscana

Tienen
los días que se van
una dura semilla inalcanzable
y una pulpa jugosa
de albaricoque apenas desprendido
de su rama
que en la boca confunde
la sed con la frescura.

Tienen los días que se van
una luna visible todo el día
y transparente.

Olor de albahaca
y de romero tienen.

Y entre un paso y otro
hay una lentitud
como de ganas de estar aquí
de no llegar
no todavía

un poco más de este aire de canela
de este suspiro sin espera

de esta tregua si es tregua
de esta agua si es canal este dulce
lamer la orilla
sin arriesgar el flanco de la nave

este confiar en alas que
acaso
invisibles nos protegen.

Versión del autor

Emilio Coco
Italia

Così dovrebbe giungere la morte

Così dovrebbe giungere la morte,
come viene l'amore e ogni difesa
diventa vana. Un vento che ti porta
lontano sopra un'isola deserta
dove tu e lei soltanto fate a gara
a inebriarvi di baci e di carezze,
senza voler sapere del domani.

Così dovrebbe giacere al tuo fianco,
come un'amante timida che al buio
offre il suo seno alle tue labbra ardenti
senza nulla pretendere. E distrae
il tuo cuore da tutte le altre pene.
Ti fideresti di lasciare sola
fanciulla così bella e appassionata?

Così dovrebbe chiudere i tuoi occhi,
come la madre quelli del bambino
che s'incapriccia a rimanere sveglio
nel cuore della notte e se lo stringe
al petto e passa lieve la sua mano
più volte sulle palpebre e lo adagia
nella culla e s'incanta a contemplarlo.

Emilio Coco
Italia

Así tendría que llegar la muerte

Así tendría que llegar la muerte,
como viene el amor y tu defensa
se vuelve vana. Un viento que te lleve
a una isla lejanísima y desierta
donde ambos competís a ver quién logra
embriagarse con más besos y mimos
sin querer saber nada del mañana.

Así tendría que yacer contigo,
como una amante tímida que a oscuras
su pecho ofrece a tus ardientes labios
sin que pretenda nada, distrayendo
tu corazón de cualquier otra pena.
¿Te atreverías a dejarla sola,
a una joven tan bella y apasionada?

Así tendría que cerrar tus ojos,
como la madre aquellos de su niño
que llora en plena noche y se empecina
en quedarse despierto, y en sus brazos
lo aprieta suavemente, con su aliento
rozándole los párpados, lo pone
en la cuna, se encanta al contemplarlo.

Versión del autor

João Rasteiro
Portugal

A dança das mães

Na beleza irremediável das feridas
alimentam-se mães sem trégua.
Nos rios secos, batem e batem os corações
alimentados em sangue frio e espesso.
Que é lívido. Que procura a boca das raízes
nos conjugados ascensos e âmagos.
O coração é um bicho estranho, foragido,
que vai caminhando gota a gota,
ambicionando o amor do ser intacto.
E as feridas incautas aproximam-se das mães,
em seu viçoso centro,
imprudentes ao pérvio fardo de cada sopro:
o amor, eternamente feroz.
E as mães são as mutiladas candeias
que efabulam do interior dos angulares corações.
*
E as feridas das mães são cada vez mais belas.
O medo caminha violentamente mais perto,
no corpo, na cara,
nas vértebras e no ventre
onde se abriga com seu volúvel volume,
o silencioso amor de mãe. A difusa distância
entre o ventre e o gume.
*

Sob a folhagem da água, mães cansadas
da aridez que as toca,
incendeiam-se através dos filhos. E os filhos,
esse cingido chumbo cravado
nas asas, esse projecto que sobre o mar se estende,
alimenta as feridas pelos tendões,
como a garganta entre os dedos do útero.
*
As mães debicam sobre a areia a sua rota clara,
até ao fim do mundo, erectas:
como pela última vez.
Sobre a montanha, na subtileza das ínguas
um filho incorpora-se na beleza
incurável das feridas, enquanto mães em seu delírio
tacteiam a pedra, até ser flor.
*
Por vezes sangram e cantam, secam os olhos,
arrancam a língua dos sexos
e em permanente luta, corpo a corpo,
o amor estende-se, mas os gestos
são indiferentes, neste caminhar obsceno
de criaturas sem frutos. A aprazível violência
do filial e obsessivo bem-querer.
*
Há-de caber numa clara sílaba, num vasto eco
numa lágrima, numa gota de mercúrio
todo o tempo, todo o amor,
toda a murcha flor e dor consumida
de uma existência sem história: uma travessia nua.

João Rasteiro
Portugal

El baile de las madres

En la belleza irremediable de las heridas
se alimentan madres sin tregua.
En los ríos secos, laten y laten corazones
alimentados en sangre fría y espesa.
Qué es lívido. Qué busca la boca de las raíces
en los conjugados ascensos y tallos.
El corazón es un bicho raro, forajido,
que va caminando gota a gota,
anhelando el amor de ser intacto.
Y las heridas incautas se acercan a las madres
en su denso centro,
imprudentes ante el fardo soportable de cada soplo:
el amor, eternamente feroz.
Y las madres son las mutiladas velas
que se recrean desde el interior de angulares corazones.
*
Y las heridas de las madres son cada vez más hermosas.
El miedo camina violentamente más cerca,
en el cuerpo, en la cara,
en las vértebras y en el vientre
donde se abriga con su voluble vientre,
el silencioso amor de madre. La difusa distancia
entre el vientre y el filo.
*

Bajo el follaje del agua, madres cansadas
de la aridez que las toca,
se incendian por medio de sus hijos. Y los hijos,
ese ceñido plomo clavado
en las alas, ese proyecto que sobre el mar se extiende,
alimenta las heridas por los tendones,
como la garganta entre los dedos del útero.
*

Las madres picotean sobre la arena su ruta clara,
hasta el fin del mundo, erectas:
como la última vez.
Sobre la montaña, en la sutileza de los nódulos
un hijo se incorpora en la belleza
incurable de las heridas, mientras las madres en su delirio
tanteando la piedra, hasta ser flor.
*

A veces sangran y cantan, se enjugan los ojos,
arrancan la lengua de los sexos
y en lucha permanente, cuerpo a cuerpo,
el amor se extiende, pero los gestos
son indiferentes, en este caminar obsceno,
de criaturas estériles. La apacible violencia
de la filial y obsesiva bienquerencia.
*

Cabrá en una sílaba clara, en un inmenso eco,
en una lágrima, en una gota de mercurio,
todo el tiempo, todo el amor,
toda la flor marchita y el dolor consumido
de una existencia sin historia: una desnuda travesía.

Traducción de Xavier Frías Conde

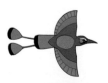

Luis García Montero

España

El dogmatismo es la prisa de las ideas.

Aquí junto a las dunas y los pinos,
mientras la tarde cae
en esta hora larga de belleza en el cielo
y hago mío sin prisa
el rojo libre de la luz,
pienso que soy el dueño del minuto que falta
para que el sol repose bajo el mar.

Esa es mi razón, mi patrimonio,
después de tanta orilla
y de tanto horizonte,
ser el dueño del último minuto,
del minuto que falta para decir que sí,
para decir que no,
para llegar después al otro lado
de todo lo que afirmo y lo que niego.

Esa es mi razón
contra las frases hechas y el mañana,
mientras la tarde cae por amor a la vida,
y nada es por supuesto ni absoluto,
y el agua que deshace los periódicos
arrastra las palabras como peces de plata,
como espuma de ola

que sube y se matiza
dentro del corazón.

Aquí junto a las dunas y los pinos,
capitán de los barcos que cruzan mi mirada,
prometo no olvidar las cosas que me importan.

Tiempo para ser dueño del minuto que falta.
Pido el tiempo que roban las consignas
porque la prisa va con pies de plomo
y no deja pensar,
oír el canto de los mirlos,
sentir la piel,
ese único dogma del abrazo,
mi única razón, mi patrimonio.

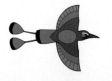

Miguel Albero
España

Duda

Vuelvo del miedo,
del lugar donde los hombres descarrilan,
donde nadie mira a la cara ni de frente,
donde la luz huele a hiel, huele a dolor,
huele a todo aquello que tiene forma de tortura.

Regreso como regresa un muerto,
con la tierra aún fresca en la epidermis,
con los gusanos rondando mis entrañas,
con la nada incrustada en mis labios invasora,
dejando un extraño gusto a no ser,
un sabor a gris perla ácido y a veces negro.

Los niños me rehúyen aterrados,
como si vieran su propia muerte avejentada,
veo por todos lados y en todas partes
olores de colores neutros, pestilencias,
olores que no puedo procesar,
que ya no existen.

Vuelvo del miedo, veo, huelo, vivo,
como si fuera un muerto entre los muertos,
como si el sol huidizo no se detuviera
ya sobre mí, no me alumbrara.

Y digo que vuelvo del miedo pero dudo,
¿y si al final no estoy de vuelta?,
¿y si es en el miedo donde aún habito?,
¿y si no huelo ni veo?, ¿y si oigo sólo?,
¿y si sólo oigo y oigo solo este estruendo
de nada en nada hendido?

Joan Margarit
España

Horaris nocturns

Estic dormint amb tu i sento passar els trens.
Em travessen el front els llums de les finestres
estripant el vellut blau fosc d'aquesta nit.
L'estona de silenci em deixa un llum vermell,
la nota a un pentagrama de cables i de vies
obscures i lluents. Estic dormint amb tu
i els sento com s'allunyen amb el soroll més trist.
Potser m'he equivocat no pujant en un d'ells.
Potser l'últim encert és -abraçat a tu-
deixar que els trens se'n vagin en la nit.

Joan Margarit
España

Horarios nocturnos

Acostado contigo, oigo pasar los trenes,
y por mi frente cruzan sus luces encendidas
rasgando el terciopelo de esta noche.
Cada rato en silencio me deja una luz roja,
la nota en el pentágrama de cables y de vías
oscuras y brillantes. Acostado contigo,
oigo cómo se alejan con el ruido más triste.
Quizá me he equivocado no subiendo a uno de ellos.
Quizá el último acierto sea -abrazado a ti-
dejar pasar los trenes en la noche.

Versión del autor

Aurélia Lassaque
Francia

A l'ora del solstici...

A l'ora del solstici
Lo pòble vestit de fusta
Atira dins sa rama
D'aucèls sens cara.

Lo riu barrutlaire
Carreja dusca als ribals
Sos remembres de nèu.

Los aubres de ma selva
An rogejat al primièr jorn de l'estieu.

Los òmes de la vila
An dich qu'aquò's la rovilha
E que ven del Japon.

Mas eles sabon pas
Que los aubres d'aquela comba
Dins lo secret de lors rasigas
Alisan de pèiras vivas
Que se mèton a somiar
Que l'aura e la pluèja
Las prendràn nusas sul bard
A l'ora del solstici.

Aurélia Lassaque
Francia

En la hora del solsticio

En la hora del solsticio
el pueblo vestido de madera
atrae hacia sus ramas
pájaros sin rostro.

El torrente giróvago
transporta hasta la playa
sus recuerdos de nieve.

Los árboles de mi bosque
se pintan de rojo
el primer día del verano.

Los hombres del pueblo
decían que era herrumbre
llegada del Japón.

Pero ellos no saben
que los árboles de este valle
en lo íntimo de sus raíces
acarician a las piedras vivas
que sueñan
cómo el viento y la lluvia
las cogerán desnudas sobre el barro,
en la hora del solsticio.

Traducción de Zingonia Zingone

Bruno Doucey
Francia

La vie est belle

Lorsque je me suis éveillé
tu n'étais plus à mes côtés

Il faisait nuit, c'était l'été

J'ai gravi le petit escalier qui mène dans un roulis
sur le pont de bateau de notre maison

Tu n'étais pas dans la cuisine, tu n'étais pas dans le salon

Une porte était restée entrouverte
je l'ai poussée comme un soupir

L'ombre de l'oranger a mangé mon visage

Tu dormais dans le jardin
sur un grand drap bleu de nuit

Le vent jouait encore avec les étoiles

Un instant, j'ai vu la branche de jasmin
venir effleurer ton corps

Je n'ai pas dis *La vie est belle*

Elle était belle, et je n'ai pu la retenir

qu'en posant sur ta peau les doigts de rose d'un poème.

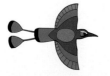

Bruno Doucey
Francia

La vida es bella

Cuando yo me desperté
tú ya no estabas a mi lado

Era una noche, era un verano

Trepé la escalerita que subía meciéndose
a la azotea de nuestra casa

Tú no estabas en la cocina, tampoco estabas en la sala

Una puerta había quedado entreabierta
la empujé como se empuja un suspiro

La sombra del naranjo encubrió mi rostro

Tú dormías en el jardín
sobre un extenso manto de azul nocturno

El viento jugaba aún con las estrellas

De pronto vi la rama del jazmín
que llegaba a rozar tu cuerpo

No dije *La vida es bella*

Ella era bella, y solo la pude retener

posando en tu piel los dedos de rosa de un poema.

Traducción de Zingonia Zingone

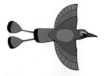

Jonathan Davidson
Reino Unido

Early Train

Leaving the house in half-dark, I am going
without goodbye, pulling the front door shut

with a muffled clunk. During the night,
at two and then at three o'clock, the four

and then the six year old had clambered up
into our narrow bed. We'd all slept sound

in the same moonlight from the street lamp
marooned across the bay from our harbour,

and the sea of leaves that turned in the trees
was a fierce squall that filled our dreaming.

As the night went out, scouring temporary
channels in the sand, we would, one by one,

wake up. I was the first, and before I left
to cycle to the station, I took a photo

of the three of them, in the five-thirty light,
to remember the lie of their bodies becalmed,

their faces and voices, their words and replies
washed up on the further shore, to remember
what it was we became when we lived together.

Jonathan Davidson
Reino Unido

Tren al amanecer

Al dejar la casa a media oscuridad, salgo
sin decir adiós, jalo la puerta que al cerrarse

deja ir un ahogado estruendo. Por la noche,
a las dos y luego a las tres en punto, el de cuatro años

y después el de seis años se habían subido
a nuestra estrecha cama. Dormíamos todos felices

bajo la claridad, como de luna, de la farola
extraviada al cruzar la bahía, frente al puerto,

y el mar de hojas que revoloteaban en los árboles
era una borrasca fiera que llenaba los sueños.

Al irse la noche por efímeros
canales en la arena, despertamos

uno a uno. Yo fui el primero, y antes de salir
en bicicleta a la estación, tomé una foto

de los tres ellos, a la luz de las cinco y media,
para guardar el sosiego de sus cuerpos en mi mente,

sus caras y sus voces, sus palabras, sus respuestas
flotando hacia una playa lejana, para recordar en qué
nos convertimos cuando vivíamos juntos.

Traducción de Francisco Larios

Stefaan van den Bremt
Bélgica

Amerika Post Factum *(1492-1992)*

Amerika is de stilte voor de kreet van de marsgast
Amerika is het stofje in het oog van Ptolemaeus
Amerika is de Oceaan die bekent dat hij eindig is

Amerika is een wereld die vergaat zodra zij in kaart is gebracht
Amerika is het continent dat geen geloof hecht aan het netvlies
van de ontdekker
Amerika is het delirium van de demiurg

Amerika is het roerei van Columbus
Amerika is de smeltkroes van ellende en genot
Amerika is de struikelsteen der wijzen

Amerika is de hof waar Adam vloekt: 'God, waar zit Gij?'
Amerika is de boom van de kennis van Ruimte en Tijd
Amerika is de priester in de huid van de gevilde

Amerika is de schakelaar die de Niagara-watervallen aanknipt
Amerika is de steekvlam in de stoppenkast van de planeet
Amerika is Vijfhonderd Jaar Eenzaamheid

Amerika is de vlieg met gouden vleugels die ik fok
Amerika is de kwade droom van de Azteek
Amerika is de verlossing door de witte clown Ariël

Amerika is wat nog niet was
Amerika was wat nog niet is
Amerika zal altijd morgen zijn

Amerika is het Wonderbaarlijk Alledaagse
Amerika is de tautologische kwelling van Tantalus
Amerika is *America es América*

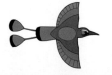

Stefaan van den Bremt
Bélgica

América Post Factum
(1492-1992)

América es el silencio previo al grito del gaviero
América es la mota en el ojo de Ptolomeo
América es el Océano que confiesa ser finito

América es un mundo que perece al ser trazado el mapa
América es el continente que no se adhiere a la retina del
descubridor
América es el delirio del demiurgo

América es el huevo revuelto de Colón
América es el crisol de miseria y deleite
América es el escollo filosofal

América es el jardín de Adán blasfemando: «Dios ¿dónde te
escondes?»
América es el árbol de la ciencia del Espacio Tiempo
América es el sacerdote en la piel del desollado

América es el conmutador inaugurando las cascadas del Niágara
América es la llamarada en la caja de fusibles del planeta
América son Quinientos Años de Soledad

América es la mosca de alas de oro que yo crío
América es el sueño angustioso del azteca

América es la redención por el hombre blanco de Ariel

América es lo que no fue
América fue lo que no es
América será siempre mañana

América es lo Real Maravilloso
América es el suplicio tautológico de Tántalo
América *est l'Amérique is America*

Versión del autor, revisada por Marco Antonio Campos

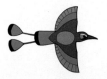

Joachim Sartorius
Alemania

Im schwarzen Zimmer des Betts

Zwei Monde gesehen
mit Aprikosensaft bekleckert
die Zikaden nie unterbrochen
Gänsehaut in der Sonne gekriegt
den Holunder mit Dolden schwer behangen
Grannen des Nichts in ein Gedicht gefegt
Aug in Auge mit einer Einenachtlibelle
den Verdacht der Freundin verlacht
Licht mit Blättern zerhackt
die Sonne mit faulen Früchten fallen gesehen
im schwarzen Zimmer des Betts gerudert
einen Mond umarmt
durchstossen geträumt

Joachim Sartorius

Alemania

En la estancia negra del lecho

He visto dos lunas
me he manchado de zumo de albaricoque
jamás he interrumpido a las cigarras
se me ha puesto carne de gallina al sol
he cuajado el saúco de flores
he barrido aristas de la nada hacia un verso
a solas con una efímera libélula nocturna
me he burlado de la sospechosa novia
con hojas he picado la luz
he visto caer el sol junto con frutas podridas
he remado en la estancia negra del lecho
he abrazado una luna
he penetrado he soñado

Traducción de José F.A. Oliver

Viki Shock

República Checa

Irracionálno dobyto!

jak nejjemnější bublinka rozplizlého času
jak nejprůzračnější atom měkkého prostoru
vznáší se na nebesích alegorický vůz
tažený stádem afrických slonů
na pavoučích nožkách
zabarvených indigem z třešní
jež nikdy nepoznají marnost
neboť jejich vlastní šťopičky
jsou odedávna prošpikovány parfémem
nejjasnějšího slunečního paprsku

jak superultrahyperbolická láva
jak enigmatický ejakulát věčnosti okamžiku
jak megalomanský višňový sad obnažených těl hurisek
majících tvar dokonalých houslových klíčů
jak prostřený stůl plný dobrot
v podobě univerzálního klínu osudové ženy
vznáší se lidské vědomí ve věku zrnka písku ve větru

tak člověk dobývá irracionálno

Viki Shock
República Checa

Lo irracional expugnado!

como la burbujita más suave del tiempo licuado
como el átomo más terso del mullido espacio
flota en el aire un carro alegórico
tirado por una manada de elefantes africanos
sobre patitas de araña
coloradas con el añil de las cerezas
desde siempre ignaras de la vanidad
porque sus pecíolos
están desde hace un tiempo inmemorable embutidos con el
perfume
del rayo de sol más brillante

como una lava super ultra hiperbólica
como la eyaculación enigmática de la eternidad del instante
como una guindola megalómana de cuerpos desnudos de
huríes
en forma de claves de violín
como una mesa llena de golosinas
con la forma del vientre universal de la mujer fatal
flota en el alma humana en la edad del granito de arena en el
viento

así el hombre expugna lo irracional

Traducción de Martha L. Canfield

Mihaela Moscaliuc

Rumanía

Colindă

Pentru Mihai (1980-Dec 25, 2007)

După ce-a spus că nu vrea să intre,
După ce-a spus ca măninca numai lucruri făcute din aripi de
înger,
După ce-a spus ca udă patul şi nu poate dormi pe aşternutul
meu,
După ce-a spus ca poartă doar haine făcute din aripi de înger
uzate
După ce-a spus ca nu e născut din mamă, tată, sau stea
căzătoare,
După ce m-a colindat incă o dată si a semănat grîu pe
linoleumul lucitor,
După ce a mîncat nuci si a băut zeamă de urzici si şi-a uns rănile
cu miere,
După ce s-a îmbăiat şi s-a rugat şi s-a strecurat înapoi în hainele
murdare,
După ce s-a încolăcit sub pătuţul gol şi şi-a făcut mîinile pernă,
După ce s-a trezit şi mi-a mulţumit şi m-a strigat "mamă," după
"Mă rog
Dar nu am incredere," după "Burta mi-e plină de frică dar nu
sunt hoţ,"
Şi-a impachetat aripile şi o lingură de argint şi s-a întors pe
străzi.

Mihaela Moscaliuc
Rumanía

Villancico

Para Mihai (1980-Dec.25, 2007)

Después que dijo que no entraría
Después que dijo que solo comería cosas hechas de alas de
ángel
Después que dijo que se orina en la cama y no podía dormir en
mis sábanas
Después que dijo que sólo se pondría abrigos hechos con alas
de ángel descartadas
Después que dijo que no había nacido de madre, ni padre, ni
estrella fugaz
Despues que cantó alegre de nuevo y esparció arroz sobre el
reluciente linóleo,
Después que comió nueces y bebió caldo de ortiga y cubrió las
heridas con miel
Después que se bañó y rezó y volvió a meterse en su ropa sucia
Después que se enrolló debajo de la cuna vacía y dobló las
manos como una almohada
Después que se levantó y me dio las gracias y me llamó *madre*,
después *yo recé*
pero no me fío, después de: *Mi vientre está lleno de miedo pero
no es un ladrón*,
Empacó sus alas y una cuchara de plata y regresó a las calles.

*Versión en español a partir de
la traducción en inglés de Rolando Kattan*

Lasse Söderberg
Suecia

Månen sedd i berusat tillstånd

(till minnet av Li Po)

1
På trottoaren några skärvor
av en sönderslagen måne.
Sätt ihop den igen, ber jag
där jag ligger på parkbänken.
Sätt ihop den och låt mig dricka.

2
Månen har fastnat i mandelträdet.
Dit har den hoppat som en groda
och snärjt in sig i grenarna.
Jag känner igen dess kväkande.
Månen har fastnat i mandelträdet.

3
Jag har fått månsken i skorna
och kan inte gå.

*

Lasse Söderberg
Suecia

La luna vista en estado de ebriedad

(a la memoria de Li Po)

1
En la vereda pedazos
de una luna quebrada.
Que se rehaga – suplico
tendido en la banca pública.
Que se rehaga – y me dejen seguir bebiendo.

2
La luna se ha enredado en el almendro.
Saltó hasta ahí como una rana
y se engarzó en el ramaje.
Reconozco su croar.
La luna se ha enredado en el almendro.

3
Se ha metido luz de luna en mis zapatos
y me impide caminar.

Versión del autor

Gleb Shulpyakov

Rusia

Прадо

Мясные ряды Рубенса.
Битая птица Гойи, перья испачканы грязью.
Креветки Босха, требуха Брейгеля —
кипят, бурлят в огромных чанах.
Вяленая рыба Эль Греко.
Между прилавков снуют карлы, буффоны.
«Педро Ивановиц Потемки» в меховой шапке.
Крики, конский топот, лязг металла —
все сливается в один базарный грохот.
Только в полотняных рядах Рафаэля тихо —
ветер играет голубым отрезом.
И снова стук, скрежет, брань.
Отрубленное ухо кровоточит на пол.
«Взяли, поднимаем!» — кричит кто-то простуженным
голосом.
В небе медленно вырастает силуэт креста.
Всё замирает.
В эту бесконечную секунду тишины
слышно как в пещере потрескивает огонь.
Плеск весла на переправе.
Шелест инкунабулы Иеронима
и стук прялки.

. . . На следующий день мы проснулись рано

и целовались в постели, не размыкая веки,
как летучие мыши. Два рисунка
— два наброска на холсте Мадрида.
Картина, которую никто никогда
не увидит.

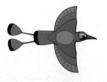

Gleb Shulpyakov
Rusia

Prado

Las carnicerías de Rubens.
Las aves apaleadas de Goya, sus plumas curtidas de lodo.
Los camarones de Bosch, las entrañas de Brueghel -
agitadas, hirviendo en enormes toneles.
El pescado seco de El Greco.
Enanos se escabullen entre los estantes, bufones.
"Pedro Ivanovich Potemki" en un sombrero de piel.
Gritos, el estruendo de caballos, el clamor de metal -
todo se funde en el estrépito de un solo bazar.
Las filas de lino de Rafael, la única calma -
el viento jugando en las longitudes celestes.
Y luego, otro golpe, un rechinar, maldiciones,
Una oreja mutilada sangra sobre el suelo,
"¡Levántenla!" - alguien grita bruscamente.
La silueta de una cruz emerge en el cielo.
Todos se detienen.
El sonido de una llama crujiendo en una cueva
dispersa su eco sobre este infinito momento de silencio.
El salpicar de remos atravesando un río,
El susurro del incunable de Hieronymus
y el retumbar de unas ruedas de hilar.
...Despertamos temprano el día siguiente,
besados en la cama, sin abrir los ojos,
como murciélagos. Dos dibujos,

dos bosquejos en un lienzo de Madrid.
Una pintura que nadie verá.

Versión en español a partir de
la traducción en inglés de Cris Mattison

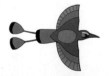

Abdel-Ilah Salhi

Marruecos

إلى الأبدِ في ضلالٍ

إلى ف. ديلغادو

أشربُ كأسا قبل الإقلاع
لا أرى أحداً غيركِ في هذا المطار الدولي الضخم
الذي يتمدد وينتفخ في رأسي.

أفحصُ حقيبتي للمرّة العاشرة.
ربما نسيتُ داخلها ما قد يُثيرُ صفّارة الإنذار في معبرِ الجمارك.
أتحسس ملمس جواز السفر في جيبي.
كنتُ كمن يحاولُ التخلصَ من قنبلةٍ
مزروعة في القلب.

أطلب كأساً أخرى.
أغمض عيني ممسكا بتلك اللقطة الهاربة:
ألمٌ خفيفٌ ممزوج بالنشوةِ يغمرُ محيّاكِ
وأنا ألِجُكِ ببطء في الغرفة رقم 313
أفتح عينيَّ في الحلم وأرى مؤخرتك العذبة تتمايل وسط زحام المطار.

من الآن فصاعداً أنا في ضلالٍ
بعيداً عن جسمكِ
سجيناً إلى الأبد في تلك الغرفة اللعينة.

Abdel-Ilah Salhi

Marruecos

Siempre errante

A F. Delgado

Me tomo un trago antes de despegar.
No veo a nadie sino a ti en este inmenso aeropuerto, que se
expande y se hincha, en mi cabeza.

Reviso mi equipaje -ya por décima vez-
para no olvidar adentro lo que pudiera alertar la alarma en la
puerta de la aduana.

Busco el pasaporte en mi bolsillo,
como alguien que trata de deshacerse de una bomba plantada
en su corazón.

Pido otra copa,
cierro los ojos después un trago fugaz:
tu rostro se ilumina,
éxtasis que se mezcla con el leve dolor
mientras te penetro
lentamente, en la habitación 313.

Abro mis ojos en el sueño
y tu simpático botín se contonea en medio de la muchedumbre
del aeropuerto;

ahora, por siempre errante,
distante de tu cuerpo,
condenado de por vida en aquella habitación.

Versión en español a partir de
la traducción en inglés de Rolando Kattan

Ali Al Ameri

Emiratos Árabes Unidos/ Palestina

حديقة

في الحديقةِ، أمسٍ، جلستُ على مقعدٍ
والفراشُ يرفرفُ فوق زهور من الضوءِ
والزنبقاتُ تميلُ على الجانبينِ كتعويذةٍ في الهواءِ
ظلالُ البنفسج تمتدُّ مثل حريرِ الصبايا
وكان الغمامُ يحلّقُ في الجوِّ مثل ثيابِ الرعاةِ الأوائلِ، حيث الطبيعةُ تهذي على حجرٍ كوكبيٍّ،
وتمرحُ عند المياه كطفلٍ يلفُّ خيوطاً من البرقِ حول يديهِ،
ويكسرُ
آ ن ي ةً
أو
يعلّقُ
زراً
صغيراً
على خشبِ البابِ
أمسٍ، جلستُ على مقعدٍ في الحديقةِ
حطّت طيورٌ على فكرةِ الليلِ
كنتُ هناك على مقعدٍ مرمريٍّ
ولمّا رجعتُ إلى البيتِ
شاهدتُ
حقلاً
يسيلُ
على
صورةٍ
في الجدار.

Ali Al Ameri
Emiratos Árabes Unidos/ Palestina

Un jardín

Ayer en el jardín,
me sentaba en una silla,
las mariposas latían sobre flores de luz,
los lirios tendían a los lados como amuletos en el aire,
sombras lilas se extendían como seda de muchachas,
la neblina circulaba en el aire como ropa de los primeros
pastores,
donde la naturaleza deslumbra sobre una piedra de astros,
y juega en el agua como un niño rollando hilos de relámpago
alrededor de su mano,
y rompe
una vasija
o
clava
un pequeño botón
en la madera de la puerta.
Ayer, me sentaba en una silla del jardín
unos pájaros caían sobre la idea de la noche,
allí estaba en una silla de mármol,
y cuando volví a casa
vi
un huerto
fluyendo
sobre
un cuadro
en la pared.

Traducción de Abeer Abdel Hafez

Najwan Darwish
Palestina

ولم نكن نتوقف!

ليس لي بلدٌ لأُنفى منها
شجرةٌ جذورها ماء نهر يجري
إن توقّفتُ تموت
وإن لم نتوقّف تموت
*
على خدّ الموت وعلى ذراع الموت
قضيتُ أفضل أيامي
وبلدي التي خسرتها كل يوم
كنت أربحها كل يوم
وكان للناس بلدٌ واحدةٌ
وكانت بلدي تتعدّد في الخسارة
وتتجدد في الفقد
ومثلي جذورها في الماء
إن توقفت تجف
إن توقفت تموت
وكلانا يجري مع نهر من شعاع الشمس
من غبار الذهب المصّاعد من جراح أثريةٍ
ولم نكن نتوقف
كلانا كان يجري
لم نفكّر مرة أن نتوقف لنلتقي
*
ليس لي بلد لأُنفى منها
ليس لي بلدٌ لأرجع إليها
وإن توقفتُ في بلدٍ أموت.

115

Najwan Darwish

Palestina

No parábamos

No tengo país donde volver
No tengo país del que ser desterrado
un árbol cuyas raíces son agua de río que corre
si para, muere
si no para, muere
****
Sobre la mejilla y el hombro de la muerte
pasé mis mejores días,
y mi país que perdía todos los días
lo ganaba todos los días.
La gente tenía un solo país
y mi país se diversificaba en la pérdida
y se renovaba en la ausencia
Como yo, sus raíces están en el agua
si para, se seca
si para, muere.
Ambos corremos junto a un río de rayos de sol,
de un polvo de oro que sale de las heridas antiguas.
No parábamos,
ambos corríamos
nunca pensamos en detenernos para encontrarnos
****
No tengo país del que ser desterrado
No tengo país donde volver
y si me detengo en un país, muero.

Traducción de Ibrahim El Yaichi

Yang Lian
China

时间主题

竹子的厌倦
是一年年锁进登楼的脚步　被判决
装饰早成琥珀的春天

人的厌倦　转弯
木楼梯吱嘎作响　劈面一桶柏油
年龄粘稠　速度粘稠　深陷的长卷

此刻无限大　咫尺之外　湖岸　海岸
也加入你布置的钢铁静静生锈
一个人　轮回的慢的笔尖

经过　经历过　甬道之幽暗
眺望船来船往一道裂缝　花开花落
什么没出没于血泊？腐烂

用这幅画黏住　暴露的器官
重复你见过的死　你的那些死
飞檐收放飞鸟　柏油味儿的大雪弥漫

也在登临 一只鹤翩翩
穿缝死者 更深葬入此刻这块磁石
哪双泪眼不在俯瞰

自己的远方 那么多宇宙浸染
一点墨色 今生来世都回到这儿
一枚琥珀中水声激溅

总是刚刚滴下的 千年
滴落 楼之遗址上一颗星
你的艺术 找到一朵不原谅岁月的莲

Yang Lian
China

Tema del tiempo

El cansancio de los bambúes
es huella del estar encerrado en el piso de arriba por años
sentenciado
a decorar la primavera que hace mucho se convirtió en ámbar

El cansancio de los humanos   al doblar una esquina
escala de madera que cruje   un barril de alquitrán echado en
pleno rostro [2]
el espesor de la edad   y de la presteza   el largo rollo
profundamente hundido

Este instante es potencia al infinito   a un brazo de distancia
orilla de lago   de
/mar
también se une al acero que tú dispusiste en silencio
oxidándose
Una persona   un punto de pluma reencarnado lentamente

de paso   curtido   la oscuridad del corredor
se asoma a una grieta mientras los barcos van y vienen   las
flores brotan y se marchitan
¿Qué no inquieta en el charco de sangre?   Podredumbre

que usa esta pintura para unir   los órganos al aire

y repite las muertes que has visto   esas muertes de
los tuyos
Las cornisas voladoras toman y dejan ir pájaros revoltosos
alquitranada nieve que se
/dispersa

También al ascender   una grulla elegantemente baila
zurce a través de los muertos   ahora enterrados aún más
profundo en el imán
Qué ojos llenos de lágrimas no miran

su propio lugar distante   innumerables universos lo ha
coloreado
con un poco de tinta   Ésta y la próxima vida regresarán aún
aquí
en el centro de una salpicadura de agua ambarina

Siempre acaba goteando   por miles de años
gotea   una estrella sobre las ruinas del pabellón
Su arte   encontró un loto que nunca va a perdonar el
tiempo

Traducción de Katherine M. Hedeen y Víctor Rodríguez Núñez

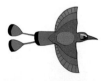

Jidi Majia

China

献给土著民　的颂歌

——为联合国世界土著人年而写

歌颂你

就是歌颂土地

就是歌颂土地上的河流

以及那些数不清的属于人类的居所

理解你

就是理解生命

就是理解生殖和繁衍的缘由

谁知道有多少不知名的种族

曾在这个大地上生活

怜悯你

就是怜悯我们自己

就是怜悯我们共同的痛苦和悲伤

有人看见我们骑着马

最后消失在所谓文明的城市中

抚摸你

就是抚摸人类的良心

就是抚摸人类美好和罪恶的天平

多少个世纪以来，历史已经证明

土著民族所遭受的迫害是最为残暴的

祝福你

就是祝福玉米，祝福荞麦，祝福土豆

就是祝福那些世界上最古老的粮食

为此我们没有理由不把母亲所给予的生命和梦想

毫无保留地献给人类的和平、自由与公正

Jidi Majia
China

Una canción de alabanza
a los pueblos indígenas

Escrito para celebrar el año de los pueblos indígenas de las Naciones Unidas

Cantar en alabanza de ustedes
Es cantar en alabanza de la tierra
Es honrar los ríos de la tierra
Y los innumerables hábitats de los seres humanos
Comprenderlos a ustedes
Es comprender la voluntad de vivir
Entender por qué la gente se reproduce y multiplica
¿Quién sabe cuántas razas, ahora anónimas
Una vez vivieron sobre esta tierra bondadosa?
Compadecerse de ustedes
Es compadecernos de nosotros mismos
Es compadecernos de nuestro dolor y tristeza compartida
Cierto hombre nos miró montando un caballo
Hasta que desaparecimos en la así llamada ciudad civilizada
Acariciarlos a ustedes
Es acariciar la consciencia humana
Es acariciar las balanzas que pesan
Nuestra decencia humana y el mal
Por tantos siglos, la historia ha probado
Que los pueblos indígenas han sufrido el daño más cruel
Bendecirlos a ustedes
Es bendecir el maíz y el trigo y las papas
Es bendecir el más antiguo bocado del mundo
Así, sería lo correcto sólo el dar sin reserva

La vida y los sueños que nuestra madre nos dio
Como una ofrenda para la paz, la libertad y la justicia humana.

Traducción de León Blanco

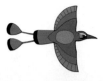

Chân Phoung
Vietnam

Bài Blues Bin

đừng mua nhà cạnh biển
một khi đã quen với thủy triều lên xuống
thời gian sẽ biệt tăm

quả tim hóa làm một loại đàn cầm
nhưng mọi trang nhạc đều bỏ trống

*

đừng bao giờ cất nhà chòi trên đảo
khi đã quen với mớ vỏ ốc khô
ngày với đêm biến thành các ngăn kéo trống
bình minh hoàng hôn sẽ nhợt nhạt sắc màu

vắng mặt hết hình ảnh và ca khúc
tâm thức thành nhịp điệu tinh ròng

ngữ điệu của trừu tượng
bằng trắc của lặng câm

Chân Phoung
Vietnam

Blues del mar

no compres una casa frente al mar
apenas te acostumbras al oleaje y las mareas
el tiempo desaparece
el corazón se vuelve un instrumento de cuerda
aunque estén blancas todas las partituras
*
nunca construyas una cabaña en una isla
apenas te acostumbras a las caracolas abandonadas
los días y las noches parecen cajones vacíos
sin el color del alba y del crepúsculo
ausente toda canción e imagen
la mente se convierte en puro ritmo
prosodia de abstracción
yámbicos de silencio

Peter Boyle
Australia

Robert Frost at Eighty

I think there are poems greater and stranger than any I have
known.
I would like to find them.
They are not on the greying paper of old books
or chanted on obscure lips.
They are not in the language of mermaids
or the sharp-tongued adjectives of vanishing.
They run like torn threads along paving stones.
They are cracked as the skull of an old man.
They stir in the mirror
at fifty,
at eighty.
My ear keeps trying to hear them
but the seafront is cold.
The tide moves in.
They migrate like crows at a cricket ground.
They knock at the door when I am out.

I have done with craft.
How can I front ghosts with cleverness,
the slick glide of paradox and rhyme
that transforms prejudice
to brittle gems of seeming wisdom?

Though I bury all I own or hold close
though my skin outlives the trees
though the lines fall shattering the stone
I cannot catch them.
They have the lilting accent
of a house I saw but never entered.
They are the sounds a child hears –
the water, the afternoon, the sky.
I watch them now
trickling through the open mirror.
Sometimes, but almost never
we touch what we desire.

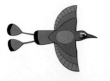

Peter Boyle

Australia

Robert Frost a los ochenta

Pienso que hay poemas más grandes y extraños que cualquiera
que hayamos   [conocido.
Me gustaría encontrarlos.
No están en los grisáceos papeles de viejos libros
o cantados en oscuros labios.
No están en el lenguaje de las sirenas
o en los adjetivos de las filosas lenguas del desaparecimiento.
Corren como rasgados hilos a través de las baldosas.
Están agrietados como el cráneo de un hombre viejo.
Se revuelven en el espejo
a los cincuenta,
a los ochenta.
Mi oído sigue intentado escucharlos
pero el malecón es frío.
La marea avanza.
Migran como cuervos hacia un campo de grillos.
Tocan a la puerta cuando estoy fuera.

He hecho con destreza.
¿Cómo puedo enfrentar fantasmas con inteligencia,
el hábil deslizamiento de la paradoja y el ritmo
que transforma al prejuicio
en quebradizas gemas de aparente sabiduría?

Aunque entierre todo lo que poseo o mantengo cerca
aunque mi piel sobreviva a los árboles
aunque las líneas se precipiten resquebrajando las piedras
no puedo atraparlos.
Tienen el cantarín acento
de una casa que alguna vez vi pero a la cual nunca entré.
Son el sonido que escucha un niño –
el agua, la tarde, el cielo.
Los veo ahora
goteando a través del espejo abierto.
Algunas veces, pero casi nunca
tocamos aquello que deseamos.

Traducción de Gustavo Osorio de Ita

Agradecimientos

A todos los poetas que amablemente nos dieron permiso de publicar los poemas que componen este libro, a los traductores que hicieron posible romper los muros Babel, a Rolando Kattan que nos acompañó en la tarea de hacer posible este sueño y reunir las voces de este libro, muchas gracias. A los poetas Víctor Rodríguez Núñez, Martha L. Canfield, Marco Antonio Campos, Xavier Oquendo, Gabriel Chávez Casazola, Juan Carlos Abril, Yang Lian, Zhao Zhejian, Fabricio Estrada, Francisco Larios, Javier Bozalongo, Najwan Darwish, Kris Vallejo, Valparaíso Ediciones y a Pascual Borzelli Iglesias por sus oportunos consejos y referencia, muchas gracias. A Katherine M. Hedeen por las traducciones especiales para este libro y a Augusto Silva por ilustrar este proyecto, gracias.

Sobre las ilustraciones

El proyecto *Legado de Generaciones* ha sido ilustrado por obras de Augusto Silva Gómez (Nicaragua, 1968). Considerado el pintor contemporáneo más importante del caribe nicaragüense, su obra ha sido reconocida internacionalmente con diversos premios y exposiciones.